MISSION : ADOPTION

CHOCOLAT

*À Matt (alias M. Popper), avec toute ma gratitude
pour son soutien et ses judicieux conseils.*

*Mes plus vifs remerciements à Steve et Chris pour m'avoir
fait connaître leurs incroyables chiens.*

Catalogage avant publication de Bibliothèque et Archives Canada

Miles, Ellen

Chocolat / Ellen Miles ; texte français de Martine Faubert.

(Mission, adoption)
Traduction de: Baxter.
Niveau d'intérêt selon l'âge: Pour les 7-10 ans.

ISBN 978-1-4431-0913- 0

I. Faubert, Martine II. Titre. III. Collection: Miles, Ellen.

Mission, adoption.

PZ26.3.M545Ch 2011   j813'.6   C2010-905872-0

Illustration de la couverture : Tim O'Brien
Conception graphique de la couverture originale : Steve Scott

Édition publiée par les Éditions Scholastic,
604, rue King Ouest, Toronto (Ontario) M5V 1E1.

5 4 3 2 1   Imprimé au Canada 121   11 12 13 14 15

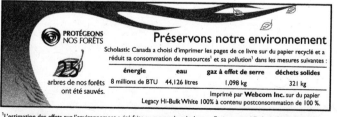

PROTÉGEONS NOS FORÊTS

Préservons notre environnement

Scholastic Canada a choisi d'imprimer les pages de ce livre sur du papier recyclé et a
réduit sa consommation de ressources[1] et sa pollution[1] dans les mesures suivantes :

	énergie	eau	gaz à effet de serre	déchets solides
arbres de nos forêts ont été sauvés.	8 millions de BTU	44,126 litres	1,098 kg	321 kg

Imprimé par **Webcom Inc.** sur du papier
Legacy Hi-Bulk White 100% à contenu postconsommation de 100 %.

FSC
Sources Mixt...
Groupe de produits issu...
bien gérées, de sources co...
et de bois ou fibres rec...
Cert no. SW-COC-002...
www.fsc.org
© 1996 Forest Stewardship

[1]L'estimation des effets sur l'environnement a été faite au moyen du calculateur «Environmental Defense Paper Calculator».

Fais connaissance avec les chiots
de la collection *Mission : Adoption*

Belle

Biscuit

Boule de neige

Cannelle

Carlo

Chocolat

Glaçon

Husky

Maggie et Max

Margot

Patou

Pico

Presto

Princesse

Rascal

Réglisse

Théo

Tony

MISSION : ADOPTION

CHOCOLAT

ELLEN
MILES

Texte français de Martine Faubert

Éditions
SCHOLASTIC

CHAPITRE UN

— Biscuit sait rester gentiment assis. Il est adorable, non? dit Rosalie en tapant des mains et en souriant à son chiot. Bon chien, Biscuit!

Biscuit redressa la tête et battit de la queue. Puis il se remit debout et fit un pas vers Rosalie.

— Non, Biscuit! lui dit Rosalie en levant la main. Reste! Attends que la photographe prenne la photo!

Biscuit voulut se rasseoir, mais ce fut plus fort que lui : il bondit vers Rosalie, posa ses pattes sur ses genoux et tendit le cou pour lui lécher le visage. Rosalie ne put s'en empêcher elle aussi : elle se mit à rire et le serra dans ses bras.

— Biscuit! Tu es censé te faire photographier. Tu dois rester assis sans bouger.

Biscuit se tortilla et continua de lécher Rosalie,

qui riait encore plus. Qui pourrait se fâcher contre un chiot aussi mignon, avec sa douce fourrure brune et sa tache blanche en forme de cœur sur la poitrine? Comment aurait-il pu comprendre que cette séance de photos était un cadeau très spécial? Si seulement Biscuit laissait la photographe prendre sa photo, Rosalie et sa famille pourraient la garder en souvenir pour toujours. Les Fortin aimaient tous beaucoup Biscuit.

La famille de Rosalie était une famille d'accueil pour chiots, ce qui veut dire qu'elle prenait soin de chiots qui avaient besoin d'un foyer en attendant de leur trouver la famille idéale pour toujours. Les Fortin avaient d'abord servi de famille d'accueil à Biscuit, mais finalement, ils avaient décidé de l'adopter au grand bonheur de Rosalie. Ses deux jeunes frères, Charles et le Haricot, aimaient beaucoup Biscuit, eux aussi.

Rosalie réussit enfin à faire asseoir Biscuit.

— Désolée! dit-elle quand elle eut repris son souffle après avoir tant ri.

— Ce n'est pas grave, dit la photographe, une belle

jeune femme d'origine japonaise prénommée Katana.

Elle repoussa ses longs cheveux noirs derrière ses épaules et sourit.

— Je suis habituée et, de toute façon, je n'ai pas fini mon installation. Je te le dirai quand je serai vraiment prête.

Rosalie était chez Les Amis de Bouly, la garderie pour chiens de sa tante. Tante Amanda était encore plus folle des chiens que Rosalie (comme si c'était possible!). Cette entreprise était donc parfaite pour elle. Elle prenait soin des chiens des autres pendant qu'ils étaient au travail ou en vacances. Il y avait des jours où elle avait jusqu'à trente chiens! Trente chiens très chanceux! Au lieu de rester couchés tout seuls à la maison, ils passaient la journée à jouer, à faire la sieste, à manger des gâteries pour chiens faites maison ou à faire des activités comme du bricolage pour chiens et des jeux. Il y avait même des massages pour chiens. Les plus chanceux de tous passaient la fin de semaine avec tante Amanda et oncle François dans leur maison de campagne, le Chalet de Bouly. Là-bas, les chiens pouvaient nager, courir dans les bois, jouer au disque volant ou simplement faire la sieste sur la véranda.

Rosalie aimait bien donner un coup de main chez Les Amis de Bouly. Malheureusement, elle n'en avait pas eu la chance récemment. En effet, depuis quelques semaines sa tante Amanda n'avait pas eu besoin de son aide. Mais aujourd'hui, elle avait vraiment besoin d'elle! C'était le jour des portraits. Katana, une photographe professionnelle, était venue prendre des photos des pensionnaires réguliers de tante Amanda. La plupart des propriétaires étaient contents de profiter de ce service, même si ces portraits représentaient un coût supplémentaire.

Katana avait installé une toile de fond toute blanche pour faire poser les chiens. Elle avait des lampes spéciales et un gros appareil photo placé sur un trépied, et aussi beaucoup de gâteries pour chiens et des jouets qui couinent. Rosalie devait s'en servir pour attirer l'attention des chiens. Quand Katana levait le doigt pour montrer qu'elle était prête à prendre la photo, Rosalie devait faire couiner un jouet afin que le chien regarde l'appareil photo avec, si possible, un air adorable et bien éveillé.

Tante Amanda était chargée de faire asseoir les chiens sans bouger. Une tâche plutôt difficile. Mais c'était certainement la personne la plus douée pour accomplir cette tâche. Elle était la meilleure! Elle avait vraiment le don avec les animaux. Elle pouvait entraîner n'importe quel chien à faire presque n'importe quoi. Rosalie savait que, si tante Amanda avait été dans la pièce, Biscuit serait resté assis. Mais tante Amanda était dans la salle de jeu, en train de préparer les autres chiens. Biscuit était un chien d'essai pour Katana, avant la vraie séance de photos. Mme Fortin l'avait amené en même temps que Rosalie et, maintenant, elle attendait patiemment de le ramener à la maison.

— Bon, dit Katana en se redressant. Je crois que ça y est. Peux-tu faire asseoir Biscuit sur le gros X que j'ai fait avec du ruban adhésif sur le plancher?

Rosalie amena Biscuit sur le X et lui dit de s'asseoir. Biscuit s'assit en la regardant avec bon espoir.

Est-ce que je vais recevoir une gâterie pour ça?

— Bon chien! fit Rosalie, en se disant qu'elle aurait dû glisser dans sa poche les gâteries préférées de Biscuit.

Elle sourit à Biscuit et lui caressa la tête. Il battit de la queue.

Les caresses sont presque aussi bonnes que les gâteries!

— Biscuit, reste! dit Rosalie.

Elle garda sa main en l'air, la paume tournée vers Biscuit. Rosalie, avec l'aide de tante Amanda, venait de commencer à enseigner à son chiot à obéir à des signes de la main. Tout en gardant sa main levée, elle recula de quelques pas.

— Bon chien! dit-elle pour l'encourager. Tu fais bien ça!

Quelques pas de plus, et elle se retrouva à côté de Katana. Biscuit restait assis sagement, mais Rosalie voyait bien que ce n'était pas facile pour lui. Il tremblait un peu et sa queue faisait des petits *tap tap tap* sur le plancher.

Katana leva le doigt. Aussitôt, Rosalie plongea la main dans un panier à jouets et en ressortit une borne-fontaine en plastique rouge. Elle la tint juste à côté de l'appareil photo et la serra bien fort. En entendant le jouet couiner, Biscuit releva la tête et regarda l'appareil photo. *Clic!*

— Je l'ai eu! dit Katana, juste au moment où Biscuit se précipitait vers Rosalie en remuant la queue comme un fou et en lui souriant avec son drôle de sourire de chien.

Rosalie rit et lui donna la borne-fontaine à mâchouiller. *Couic! Couic! Couic-couic-couic!* Biscuit fit le tour de la pièce en lançant le jouet dans les airs pour ensuite se jeter dessus, encore et encore.

—Parfait! dit Katana. Il était adorable. On fera de même avec les autres chiens.

Rosalie appela Biscuit.

— Bon chien! lui dit-elle une fois de plus, quand il rapporta la borne-fontaine.

— J'ai hâte de voir cette photo! dit la mère de Rosalie en mettant la laisse à Biscuit.

— En voici un petit aperçu, dit Katana.

Elle montra à Rosalie et à Mme Fortin l'écran de visualisation, à l'arrière de son appareil photo. Biscuit posait à la perfection, la tête penchée et les oreilles dressées, aux aguets.

— Oooh! s'exclama Mme Fortin.

— Vous êtes vraiment très douée, dit Rosalie à Katana.

Katana sourit modestement.

— J'ai pris beaucoup de chiens en photo, dit-elle. C'est ma spécialité.

Une fois sa mère partie avec Biscuit, Rosalie commença à travailler pour de bon. Tante Amanda amena tous les chiens un à un : Hoss, un grand danois plein de dignité, Oscar, un épagneul cocker, Carlo, le terrible petit carlin que la famille de Rosalie avait autrefois accueilli, et bien sûr Bouly, le golden retriever de tante Amanda.

Tante Amanda fit asseoir les chiens. Katana ajusta ses éclairages, puis son appareil photo, et donna le signal à Rosalie. Rosalie fit couiner le jouet.

Certains chiens restèrent immobiles et posèrent calmement.

Par contre, Carlo se leva, courut partout dans la pièce en évitant les bras qui essayaient de l'attraper, et faillit briser les projecteurs de Katana. Quelques autres se couchèrent et tombèrent endormis pendant que Katana pointait son appareil photo vers eux.

Rosalie rit tout au long de la séance.

— C'est tellement drôle! dit-elle à Katana. Si un jour tu as besoin d'une assistante, fais-moi signe.

Finalement, tante Amanda amena le dernier chien.

— Voici Chocolat, dit-elle en dirigeant un chiot plein d'énergie à travers la pièce. Après avoir pris cette photo, on essaiera une photo de groupe. Ça devrait être intéressant!

Rosalie n'avait jamais rencontré Chocolat. C'était un beau chiot au poil brun et frisé, sauf la poitrine et le bout des pattes qui étaient blancs. Il avait les oreilles tombantes et un air sympathique. Ses yeux bruns brillaient sous une frange de poils ondulés, ce qui lui donnait l'air d'un petit bonhomme avec des sourcils très touffus. Il bondit gaiement vers Rosalie pour la saluer, tout en traînant tante Amanda derrière lui.

— Bonjour Chocolat! s'exclama Rosalie en se penchant pour flatter ses grandes oreilles et embrasser son joli petit museau noir.

Son poil frisé lui rappela Glaçon, un golden doodle (un croisement de caniche et de golden retriever) que sa famille avait hébergé. Rosalie avait vraiment craqué pour lui, et ça n'avait pas été facile de le laisser partir. Chocolat aurait-il des traits de caniche lui aussi?

— De quelle race es-tu, mon trésor? dit Rosalie.

Elle se remémorait son affiche sur les races de chiens dans le monde, accrochée au mur de sa chambre. Quel chien ressemblait le plus à Chocolat?

Tante Amanda commença à parler, mais Rosalie l'interrompit.

— Attends! dit-elle en levant la main. Ne dis rien! Laisse-moi deviner.

CHAPITRE DEUX

— Ce ne serait pas un chien d'eau portugais? demanda Rosalie.

— Formidable! dit tante Amanda en éclatant de rire. Tu connais vraiment très bien les races de chiens. Tu ne te trompes jamais!

Elle se pencha pour flatter Chocolat.

— Oui, Chocolat est bien un chien d'eau portugais, approuva-t-elle.

— J'en avais entendu parler, dit Katana. Mais je n'en avais encore jamais vu.

— Ce sont des chiens incroyables, renchérit Rosalie.

Maintenant, tout ce qu'elle avait lu au sujet de cette race lui revenait à la mémoire.

— Saviez-vous que, à l'origine, ils aidaient les

pêcheurs portugais à rassembler les poissons, comme les border collies le font avec les moutons? Ils nageaient dans l'océan et pourchassaient les poissons jusque dans les filets des pêcheurs. Ces chiens adorent l'eau et ce sont d'excellents nageurs.

— Chocolat a seulement six mois, dit tante Amanda. Il n'a pas encore eu la chance d'aller nager, mais c'est vrai qu'il adore l'eau. Selon Liliane, sa propriétaire, il est carrément fasciné par l'eau. Il est toujours en train de fixer des yeux sa gamelle d'eau et il clapote dedans avec ses pattes.

Délicatement, Rosalie prit une des pattes blanches de Chocolat, écarta ses doigts et dit :

— Ce sera un super nageur quand il aura la chance d'aller dans l'eau. Regardez, il a les pattes palmées comme un canard. Les labradors sont comme ça, eux aussi. Ça les aide à nager.

— Fascinant... vraiment fascinant. Mais, hum, nous devrions peut-être terminer notre séance de photos, répliqua Katana en regardant sa montre.

— Bien sûr, dit tante Amanda. Allez, Chocolat!

Elle tira sur la laisse de Chocolat, et le petit chiot

frisé trottina gentiment jusqu'au X sur le plancher. Tante Amanda le fit asseoir et lui dit de rester, mais dès qu'elle s'éloigna un peu, il se releva et la suivit en geignant doucement.

— *Attends! Ne m'abandonne pas!*

Rosalie remarqua que Chocolat remuait sa queue bizarrement. Elle était baissée entre ses pattes et faisait des petits mouvements de droite à gauche et de gauche à droite. Un chien content ne remue pas la queue de cette façon. Chocolat avait peur de quelque chose.

Tante Amanda essaya encore. Chaque fois, Chocolat se relevait dès qu'elle s'éloignait de quelques pas. Tante Amanda soupira.

— Ça ne m'étonne pas, dit-elle. Chocolat a un petit problème appelé « l'angoisse de séparation ».

— Oh! Pauvre Chocolat, s'écria Katana. Comme ce doit être difficile! C'est quand un chien ne peut pas rester tout seul, n'est-ce pas? Le doberman d'un de mes amis était comme ça. Il voulait tout le temps être avec ses maîtres, et jamais seul.

— Exactement, acquiesça tante Amanda. C'est pour cette raison que Liliane l'a amené ici, à la garderie. Chaque fois qu'elle essayait de le laisser seul, il aboyait et gémissait, puis il mâchouillait ce qu'il trouvait et détruisait plein de choses dans son appartement. Les voisins se plaignaient. Elle savait qu'il était malheureux, alors elle a fini par l'amener ici. Il est tellement plus heureux avec des chiens et des gens autour de lui.

— Pourquoi certains chiens souffrent-ils de... l'angoisse de séparation? demanda Rosalie. Et comment peut-on régler ce problème?

— L'angoisse, cela veut simplement dire la peur. Personne ne sait vraiment pourquoi, répondit tante Amanda. Chocolat a peut-être vécu une mauvaise expérience un jour où il est resté tout seul, comme un gros orage qui lui aurait fait peur. Pour ce qui est de l'en guérir, tu te rappelles mon amie Hélène qui est spécialiste du comportement animalier?

Rosalie fit oui de la tête. Hélène était fantastique. Elle avait beaucoup aidé les Fortin quand ils avaient accueilli un chiot boxer appelé Tony, qui adorait mâchouiller tout ce qui lui tombait sous la patte.

— Eh bien, elle a travaillé avec Chocolat et Liliane, et elle croit qu'il pourrait guérir à condition de toujours se sentir aimé et en sécurité, continua tante Amanda. Elle nous a expliqué que certains chiens ne se remettent jamais de leur angoisse de séparation. Mais avec de l'attention et de l'entraînement, plusieurs s'en sortent.

Elle se pencha pour caresser Chocolat.

— On essaie une dernière fois, lui dit-elle.

Elle amena le chiot sur le X et le fit asseoir. Puis elle s'éloigna seulement d'un demi-pas.

— Est-ce que je suis dans le champ? demanda-t-elle à Katana.

— Non, c'est parfait! répondit celle-ci. Ne bouge plus.

Elle leva son doigt, et Rosalie fit couiner le jouet. Chocolat la regarda d'un air interrogateur. *Clic!*

— Voilà! s'exclama Katana. Bon chien, Chocolat.

Chocolat se releva, se secoua et gambada joyeusement dans la pièce, traînant sa laisse derrière lui.

Hourra! Hourra! Je suis un bon chien!

— Est-ce qu'on a encore le temps pour une photo de groupe? demanda tante Amanda.

— Bien sûr, dit Katana.

Tante Amanda et Rosalie allèrent dans la salle de jeu pour rassembler tous les chiens. Elles revinrent avec quinze chiens tout excités, la langue sortie et caracolant dans tous les sens. Tante Amanda s'assit sur le X, ouvrit grand les bras et appela les chiens.

— Hoss! Carlo! Ici! Toi aussi Gingembre. Allez, viens Oscar. Et toi, viens me voir, Noisette!

Tous les chiens se ruèrent vers tante Amanda. Rosalie éclata de rire. Les chiens l'adoraient. Trois d'entre eux essayèrent de grimper sur ses genoux pendant que les autres faisaient une bizarre de danse de chiens en courant autour d'elle.

— Ce ne sera pas long, cria tante Amanda, en riant elle aussi. Tu devrais prendre la photo tout de suite!

Katana donna le signal. Rosalie attendit que

Chocolat se soit collé contre tante Amanda, avec les autres chiens. Puis elle fit couiner très fort la borne-fontaine. En entendant ce bruit, tous les chiens levèrent les yeux vers Katana et son appareil photo. Et *clic!*

— Ça y est, dit Katana.

Elle prit encore quelques clichés avant que les chiens se dispersent. Puis Hoss, le grand danois, décida qu'il n'aimait pas la façon dont Carlo lui mordillait la cheville. Il aboya après le petit carlin. Carlo jappa à son tour. Chocolat se mit lui aussi à aboyer, avec une voix étonnamment grave. Puis tous les chiens se mirent à japper, à courir et à sauter dans tous les sens.

Tante Amanda riait tellement qu'elle s'étendit par terre. Aussitôt, quatre chiens vinrent lui lécher les oreilles et le nez, ce qui la fit rire encore plus.

— À l'aide! cria-t-elle.

Rosalie fit couiner la borne-fontaine encore une fois. *Couic! Couic! Couic!* Les chiens se calmèrent pendant une seconde pour voir d'où venait ce bruit.

— Ça suffit! s'écria Rosalie. Du calme!

Elle se faufila à travers la bande de chiens et attrapa Hoss et Carlo par le collier.

Quand les chiens se furent enfin calmés, leurs propriétaires commencèrent à arriver. Tout le monde était excité par la séance de photos. Katana et tante Amanda expliquèrent à tous que les portraits ne seraient pas prêts avant une semaine.

— N'oubliez pas votre chèque de 75 $ pour mercredi prochain, dit tante Amanda au propriétaire de Hoss, un gentil monsieur appelé Gary. Je pense que sa photo va être fantastique.

Quand Rosalie vit Chocolat se précipiter à l'autre bout de la pièce et bondir pratiquement dans les bras d'une grande jeune femme aux cheveux bruns, elle sut que Liliane venait d'arriver. Il était fou de joie. Il lécha la joue de Liliane, et elle l'embrassa sur la tête.

— Bonjour toi, face de poils! dit-elle.

Mais elle ne souriait pas. Rosalie vit même des larmes dans ses yeux.

— La séance de photos était si amusante! dit tante Amanda qui avait remarqué que Liliane semblait bouleversée. Tu vas adorer le portrait de Chocolat!

— J'en suis convaincue, dit Liliane. Mais je ne pourrai pas la payer. Je n'y arrive plus : la voiture, l'appartement, la nourriture pour le chien...

Elle renifla, puis essuya les larmes qui coulaient sur son visage.

— Je... j'ai perdu mon emploi aujourd'hui.

CHAPITRE TROIS

— Oh non! dit tante Amanda en posant sa main sur l'épaule de Liliane. C'est affreux!

— Tant de gens perdent leur emploi ces temps-ci, dit Katana en secouant la tête. C'est terrible!

— Je ne suis pas vraiment déçue de perdre cet emploi, dit Liliane. Je n'aimais pas beaucoup être réceptionniste dans un édifice à bureaux. Mais au moins je pouvais nous faire vivre, Chocolat et moi. J'avais tout juste de quoi payer le loyer, la nourriture et le vétérinaire, mais au moins je bouclais le budget. Sans emploi, je vais devoir déménager tout de suite. Si je reste dans mon appartement pour quelques jours encore, je devrai payer pour tout le mois et je n'en ai plus les moyens.

— Où irez-vous? demanda Rosalie.

— Chez mes parents, répondit Liliane en soupirant. Ils m'ont déjà dit que j'étais la bienvenue. Et ils habitent toujours dans la grande maison où j'ai grandi, au bord du Richelieu.

— Ça ne s'annonce pas si mal, dit tante Amanda. Chocolat va adorer la rivière.

— Vous ne comprenez pas, dit Liliane en se remettant à pleurer. Je... Je ne peux pas emmener Chocolat avec moi.

Elle s'assit par terre à côté de son chiot. Puis elle le prit dans ses bras et se mit à pleurer à gros sanglots, comme le Haricot quand il est trop fatigué ou vraiment affamé. Chocolat lécha le visage de Liliane, comme s'il voulait essuyer ses larmes. Elle l'embrassa sur le museau.

— Mes parents ont deux vieux chats siamois, Casimir et Félix, dit-elle en ravalant ses larmes. Ils sont là depuis toujours. J'avais douze ans quand ils sont arrivés. Ma mère m'a prévenue qu'il n'était pas question de chambouler leur vie à cause de l'arrivée d'un chiot dans leur maison. Elle traite ces chats comme s'ils étaient ses bébés.

Elle recommença à sangloter, puis elle enfouit son visage dans le cou de Chocolat.

Tante Amanda tapota la tête de Liliane.

— Je comprends ce que ressent ta mère, dit-elle. Ce ne serait vraiment pas juste pour les chats. Les animaux âgés ont besoin de vivre dans le calme et la sérénité.

Liliane ravala ses larmes, puis s'essuya les yeux du revers de la main.

— Je sais, avoua-t-elle. Mais qu'est-ce que je vais faire? J'ai passé l'après-midi à appeler tous mes amis dans l'espoir de trouver un foyer pour Chocolat. Mais ils savent à quel point il est accaparant parce qu'on ne peut jamais le laisser tout seul. Jamais, jamais. Même pas pendant quinze minutes. Personne n'a envie de s'occuper d'un chien à problèmes comme Chocolat. Et l'emmener dans un refuge est hors de question; on ne lui donnerait jamais assez d'attention.

Rosalie regarda le chiot dans les bras de Liliane. Puis elle regarda tante Amanda.

— Peut-être que ma famille... commença-t-elle à dire.

— Oui! C'est une excellente idée, coupa tante Amanda. La famille de Rosalie accueille des chiots le temps de leur trouver un foyer. Les Fortin ont beaucoup d'expérience et sont très responsables. Ils vont garder Chocolat en attendant de trouver la famille idéale pour lui.

Liliane reprit un peu espoir, mais quand elle entendit que Chocolat devrait trouver la famille idéale, elle fondit en larmes et serra son chiot contre son cœur.

Rosalie était désolée pour Liliane. Elle savait qu'une immense tristesse l'envahirait si un jour elle devait donner Biscuit. C'était déjà très dur de laisser partir les chiots que sa famille accueillait, même si elle savait qu'ils s'en allaient dans de bons foyers. Avoir à donner son propre chiot était la pire chose qu'elle pouvait imaginer. Son regard croisa celui de tante Amanda.

— Est-ce que je devrais appeler ma mère pour lui en parler? dit-elle

Tante Amanda hocha la tête, et Rosalie fila dans le bureau de sa tante. Elle composa le numéro et attendit impatiemment que quelqu'un réponde. Quand sa mère décrocha, elle lui raconta l'histoire de Chocolat.

— Alors, est-ce qu'on peut l'héberger? S'il te plaît! dit Rosalie en retenant son souffle.

Elle avait presque tout dit au sujet des problèmes d'angoisse de Chocolat. Cependant, elle n'avait pas précisé tous les petits détails qui le rendaient difficile à garder.

— Et le chalet des Santiago? demanda sa mère.

Le chalet! Comment avait-elle pu oublier? La famille de sa meilleure amie, Maria, avait un endroit fantastique où elle passait les fins de semaine : une petite cabane perdue au fond des bois. C'était à deux heures de route vers le nord, loin de la ville et loin de tout voisin, tout près d'un petit lac. Il y avait un canot, un hamac pour faire la sieste et une grande véranda. Maria avait tant parlé de cet endroit que Rosalie avait l'impression d'y être déjà allée. Elle voyait dans sa tête la petite cabane chaleureuse au milieu des grands sapins, avec de la fumée qui s'échappait de la cheminée. Pourtant, elle n'y était jamais allée. Pas encore. Les parents de Maria avaient toujours dit que c'était trop petit pour recevoir de la visite.

Récemment, Maria avait finalement convaincu ses parents de la laisser emmener une amie, Rosalie, bien sûr, au chalet. Mais quand Rosalie avait demandé à ses parents si elle pouvait y aller, sa mère avait hésité à la laisser partir si loin dans les bois. Et son père craignait qu'elle s'ennuie de sa famille. Rosalie les avait suppliés pendant des jours, mais tout ce qu'ils disaient c'était : « On verra! »

Et voilà que Mme Fortin se mettait à faire comme si Rosalie était autorisée à aller au chalet! Ils avaient dû finir par décider qu'elle pouvait y aller.

— Peut être que je pourrais amener Chocolat avec moi, répondit Rosalie.

— Euh… dit sa mère.

— Sinon, je resterai à la maison, ajouta aussitôt Rosalie. Maman, s'il te plaît? Tu devrais voir ce chiot : il est absolument adorable! Tu n'en croiras pas tes yeux. Et on n'a jamais eu de chien d'eau portugais avant. Ce serait une nouvelle expérience.

— C'est-à-dire... commença sa mère.

— S'il te plaîîît! la supplia Rosalie. C'est vraiment un bon chien, tant qu'il est avec des gens. Et j'ai remarqué qu'il s'entend bien avec les autres chiens.

— Bon, d'accord! dit sa mère. Je suis sûre que ton père acceptera. Il est parti te chercher chez tante Amanda. Je suppose qu'il te ramènera *avec* Chocolat.

Rosalie soupira de soulagement.

— Merci, maman! Tu es la meilleure!

En raccrochant, Rosalie afficha un grand sourire. Hourra! Un nouveau chiot. Et un des plus mignons!

— Devinez! cria Rosalie en courant vers la salle pour annoncer la grande nouvelle.

Mais elle s'arrêta net dans son élan et ne dit plus rien. Liliane était encore assise par terre, Chocolat blotti sur ses genoux. Ils regardèrent tous les deux Rosalie avec les yeux les plus tristes du monde. Rosalie comprit tout de suite qu'elle n'avait pas besoin d'ajouter un seul mot. Liliane savait qu'il lui fallait dire au revoir à Chocolat.

Elle lui donna alors un dernier bisou sur la tête et le déposa par terre.

— Tu vas être un bon, un très bon chien, lui dit-elle en se relevant.

Chocolat la regarda, la tête penchée sur le côté. Sa queue remuait d'un côté à l'autre.

Qu'est-ce qui se passe? Qu'est-ce que tu as qui ne va pas?

Rosalie voyait bien que le petit chiot n'avait aucune idée de ce qui allait se produire. Liliane se tourna vers Rosalie.

— Prends bien soin de mon petit trésor, dit-elle.

Puis elle sortit rapidement de la pièce, sans se retourner.

CHAPITRE QUATRE

— Liliane était si bouleversée! dit Rosalie à Maria, le lendemain, en revenant de l'école. Je comprends. J'adore déjà Chocolat! C'est le plus mignon de tous les chiots du monde!

Elle mit sa main sur sa bouche, et ajouta :

— Oh là là! Ne le répète surtout pas à Biscuit!

Maria se rendait chez les Fortin pour rencontrer Chocolat. Ensuite, ses parents viendraient la chercher et l'emmèneraient avec Rosalie faire des provisions pour le séjour au chalet. C'était décidé : Rosalie pouvait y aller. Et les parents de Maria avaient déjà accepté que Chocolat vienne aussi, à condition que Simba et lui s'entendent bien. La mère de Maria était aveugle, et Simba, un gros labrador blond, était son chien-guide. Rosalie était sûre qu'il n'y aurait aucun problème, puisque Simba n'était pas difficile et que Chocolat s'entendait bien avec les autres chiens.

Chocolat et Biscuit étaient devenus amis dès qu'ils s'étaient rencontrés. Quand les deux chiots aperçurent Rosalie et Maria, leurs queues remuaient si fort que tout leurs corps suivaient le mouvement.

— Oh! Qu'il est adorable! s'exclama Maria en se penchant pour prendre Chocolat. Regarde-moi cette face de toutou! Et son pelage est si soyeux!

Chocolat se trémoussa joyeusement en léchant la joue de Maria.

J'adore qu'on s'occupe de moi. Tout le temps!

Biscuit se fraya une place sur les genoux de Maria et poussa Chocolat.

Et moi alors?

— Bien sûr que je t'aime aussi, Biscuit, dit Maria en riant.

Elle embrassa le chiot brun sur le museau, flatta la tache blanche en forme de cœur sur sa poitrine et lui murmura :

— Tu es le chiot le plus mignon du monde!

— Chocolat s'est bien comporté pendant que tu étais à l'école, dit Mme Fortin. Il m'a suivie toute la journée. C'est évident que Liliane lui manque, mais il a été très sage.

Les filles amenèrent les deux chiots dans la cour clôturée pour les faire jouer en attendant les parents de Maria. Biscuit et Chocolat se poursuivirent tout autour de la cour en aboyant comme des fous. D'abord, Biscuit courut après Chocolat, puis Chocolat courut après Biscuit. Ensuite, ils commencèrent à lutter, en se roulant et en sautant l'un sur l'autre à tour de rôle, si vite qu'on ne vît plus qu'une grosse tache de brun pâle, de brun foncé et de blanc. À plusieurs reprises, Chocolat fonça vers le bain d'oiseaux, fixa l'eau des yeux et la tapota avec sa patte. Mais chaque fois, Biscuit arrivait en courant pour le mordiller, et la bagarre recommençait de plus belle.

— C'est sûrement bon pour Chocolat de s'amuser comme ça, dit Rosalie. Ça l'aidera peut-être à s'ennuyer un peu moins de Liliane.

Aussitôt que les parents de Maria arrivèrent, Mme Santiago enleva le harnais à Simba et le laissa rejoindre Biscuit et Chocolat dans la cour. Les deux chiots se jetèrent sur les pattes du vieux chien en grognant et lui mordillèrent les chevilles. Simba attendit patiemment, reniflant un chiot, puis l'autre. Finalement, il remua la queue et donna à chacun un coup de langue sur la joue.

— Exactement ce que je pensais : ils s'entendent très bien, dit Rosalie en prenant Chocolat dans ses bras et en l'emmenant sur la terrasse pour qu'il rencontre les parents de Maria.

— Bonjour, mon beau! dit M. Santiago en tapotant Chocolat sur les flancs. Quel gentil chien!

Mme Santiago s'agenouilla, caressa le pelage de Chocolat et lui passa les mains sur la tête.

— Il est adorable, dit-elle. Sa fourrure me fait penser aux cheveux de Maria quand elle était bébé.

— Ses poils sont comme des cheveux, expliqua

Rosalie. Les chiens d'eau portugais doivent être toilettés régulièrement, comme les caniches, parce que leurs poils ne tombent pas. Ils poussent sans arrêt.

La mère de Maria embrassa Chocolat sur la tête et se retourna vers Rosalie.

— Bien! Je crois que ce sera merveilleux d'avoir ce chien avec nous au chalet, dit-elle.

— Youpi! crièrent Rosalie et Maria ensemble.

— Alors, c'est d'accord, dit le père de Maria. Nous devrions aller faire nos provisions.

Pendant une seconde, Rosalie souhaita rester à la maison pour jouer avec Chocolat. C'était un chiot si mignon et si joyeux! De plus, elle s'inquiétait de ce problème d'angoisse de séparation. Elle avait peur de le laisser, à moins d'y être absolument obligée.

Mais sa mère la pressa d'aller faire les provisions.

— Chocolat ne sera pas seul, dit-elle. Ton père et Charles sont à une partie de soccer, et le Haricot est à la garderie. Moi, je reste à la maison pour travailler à un article. (Mme Fortin était journaliste pour le journal local.) Je prendrai bien soin de Chocolat. Je te le promets. Il vaut mieux que tu aies quelques petites choses pour quand tu seras au chalet. Ça t'aidera à moins t'ennuyer de nous.

Rosalie voulut répondre qu'elle n'allait pas s'ennuyer de sa famille, mais elle s'interrompit quand sa mère lui tendit un billet de vingt dollars. Vingt dollars! Ouah! Elle imagina ce qu'elle allait pouvoir acheter avec ça.

— Pas de cochonneries! dit Mme Fortin, comme si elle pouvait lire dans les pensées de Rosalie.

Mais elle vit sans doute son visage s'assombrir, car elle ajouta aussitôt :

— Peut-être juste un petit peu, car c'est une fin de semaine très spéciale.

En général, Mme Fortin n'achetait ni croustilles ni boissons gazeuses ni bonbons. Mais elle n'était pas trop stricte. Elle laissait Rosalie et ses frères manger leurs bonbons d'Halloween. Et chaque année, le jour de leur anniversaire, elle emballait une boîte de céréales sucrées dans du beau papier et la leur offrait comme cadeau spécial. Habituellement, Charles mangeait toute la boîte le jour même, juste parce qu'il en avait la permission. Rosalie aimait la faire durer deux ou trois semaines en en prenant un petit bol chaque jour. Le Haricot mangeait la sienne à grosses poignées, en éparpillant beaucoup de céréales sur le plancher, et Biscuit faisait le ménage.

Rosalie partit donc avec les Santiago, et l'escapade au marché s'avéra très amusante. Simba menait la troupe dans les allées du magasin, tandis que les parents de Maria empilaient les provisions dans le chariot. Maria et Rosalie prirent chacune leurs croustilles préférées, et Rosalie ajouta un gros pot d'une sorte de yogourt qu'elle aimait, avec aussi des pommes et une bouteille de jus de canneberges. Puis, remarquant qu'il lui restait encore un peu d'argent, elle trouva des gâteries pour Chocolat.

— C'est un bon chien, dit-elle à Maria. Il mérite quelque chose de spécial.

Mais quand Rosalie arriva à la maison, elle découvrit que Chocolat ne s'était pas bien conduit pendant son absence.

— Chocolat a fait des bêtises, lui annonça Charles quand elle franchit la porte.

Mme Fortin semblait mécontente. M. Fortin aussi.

— Méchant chien! dit le Haricot en montrant Chocolat du doigt.

Chocolat battit de la queue et regarda Rosalie, le nez baissé.

Je ne voulais pas faire de bêtises. J'avais peur d'être tout seul, alors je me suis mis à chercher Liliane, ou toi, ou quelqu'un d'autre!

— Il n'a pas été vraiment méchant, dit aussitôt sa mère. Ce n'était pas sa faute. Je suis discrètement sortie de la maison pendant trois minutes pour aller chercher le Haricot à la garderie. Chocolat et Biscuit étaient endormis quand je suis partie, alors j'ai pensé que tout se passerait bien.

— Oh oh! fit Rosalie en regardant sa mère, puis son père. Qu'est-ce qu'il a fait?

Son père l'emmena devant la porte arrière.

— Oh non! s'écria Rosalie quand elle vit le trou béant dans la moustiquaire. Ne me dis pas que…

— Il a sauté à travers la moustiquaire, expliqua

son père en hochant la tête. Heureusement, la barrière était fermée, alors il n'a pas pu sortir de la cour. Il devait chercher l'un d'entre nous.

— Ou Liliane, dit Rosalie. Pauvre Chocolat! Il a dû se sentir si seul quand il s'est réveillé et n'a vu personne. Je crois que Liliane avait raison quand elle me disait qu'on ne pouvait pas le laisser seul, même pas quelques minutes.

— Rosalie! dit Mme Fortin d'un ton de reproche. Tu ne nous l'avais pas dit!

— Oups! J'allais vous le dire puis j'ai oublié, répliqua Rosalie.

Mme Fortin secoua la tête. M. Fortin posa sa main sur l'épaule de Rosalie.

— Tu dois être franche avec nous au sujet des chiens que nous accueillons, dit-il en la regardant sévèrement. Sinon, comment pourrions-nous être sûrs de donner à chaque chiot les soins dont il a besoin?

Rosalie regarda le bout de ses chaussures.

— Je suis désolée, dit-elle d'une petite voix.

Puis elle regarda ses parents et demanda :

— Est-ce qu'on peut quand même aller au chalet, Chocolat et moi?

M. et Mme Fortin échangèrent un regard.

— Tu devras dire aux parents de Maria ce qui est arrivé, répondit sa mère. Si ça tient toujours de leur côté, tu peux y aller. C'était en partie ma faute. Ce ne serait pas juste pour toi et Chocolat de manquer cette grande sortie.

CHAPITRE CINQ

Maria baissa la vitre de la voiture et tendit le cou pour sentir l'air frais.

— On est presque arrivés, dit-elle tout excitée. Tu sens ce parfum?

Rosalie huma l'air frais qui sentait bon. Elle approuva de la tête et fit un grand sourire. Elle se trouvait très chanceuse d'aller au chalet. Les parents de Maria avaient accepté, mais à une condition : qu'elle ne quitte pas Chocolat des yeux, même pour quelques minutes. Pas de problème : Rosalie avait eu sa leçon. Chocolat ne pouvait pas rester seul, pas une seule minute. Elle huma l'air encore une fois.

— Ça sent bon! dit-elle. Qu'est-ce que c'est?

— Le parfum des conifères, répondit Maria en montrant du doigt une rangée de grands arbres vert foncé dont les branches ondulaient gracieusement dans le vent.

— Ce sont des pruches, très exactement, dit M. Santiago qui conduisait.

Le père de Maria savait tout sur la nature. Il avait grandi à la campagne et pouvait nommer toutes les plantes et tous les oiseaux qu'il voyait. Maria avait dit à Rosalie qu'il savait aussi reconnaître les pistes laissées par les animaux. « Il peut te dire où un orignal a dormi et jusqu'où un porc-épic est monté dans un arbre », lui avait-elle raconté fièrement.

En s'engageant dans un chemin de terre, la voiture se mit à cahoter, faisant rebondir Maria et Rosalie l'une sur l'autre sur la banquette arrière. Ils roulaient depuis presque deux heures, la plupart du temps sur des petites routes, comme M. Santiago disait, et pas sur des autoroutes avec des services de restauration rapide et des haltes routières tous les vingt kilomètres. Pour sa part, Rosalie se serait bien accommodée d'une halte routière, et les cahots n'arrangeaient rien. Mais, comme elle était invitée et qu'elle voulait bien se conduire, elle n'osait pas poser la question qui semblait toujours irriter ses parents pendant les voyages : « Quand est-ce qu'on arrive? » ou « Combien de temps encore? »

Chocolat aurait bien eu besoin d'un arrêt pipi, lui aussi.

— Ça va, face de poils? lui demanda Rosalie en se retournant pour lui jeter un coup d'œil.

Elle avait entendu Liliane l'appeler ainsi et ce surnom semblait être réconfortant aux oreilles de Chocolat. Elle passa son doigt à travers le grillage de la cage de transport et lui gratta le museau. Simba, qui était couché au fond de la voiture, derrière Chocolat, resta parfaitement calme. Le gros labrador blond était tellement bien élevé qu'il n'avait pas besoin de cage. Mme Santiago l'avait attaché avec une ceinture de sécurité pour chien afin qu'il ne fasse pas un vol plané en avant, si jamais M. Santiago avait à freiner brusquement.

Chocolat avança son museau et sortit sa langue pour lécher la main de Rosalie.

Je suis bien tant que je suis avec toi.

— Où mène ce chemin? demanda Rosalie au moment où ils passaient devant un large sentier gazonneux qui s'enfonçait dans la forêt. Un endroit idéal pour promener un chien!

— C'est une ancienne route de bûcherons, lui expliqua M. Santiago. Il y en a partout dans cette forêt. Elle est bien entretenue. En coupant des arbres, on peut garder une forêt en santé. C'est pourquoi nous avons tant d'animaux sauvages ici, comme des chevreuils, des coyotes...

— Des coyotes! s'exclama Rosalie.

Elle avait entendu des coyotes hurler, une fois, quand sa famille avait passé des vacances d'hiver dans les Hautes-Laurentides. Elle sourit, se rappelant Husky, le mignon petit chiot husky dont elle s'était occupée là-bas. Mais dans les Hautes-Laurentides, les coyotes étaient loin d'eux. Elle n'était pas rassurée à l'idée de les savoir tout près. Elle perdit son sourire et frissonna d'inquiétude.

— Est-ce qu'ils... Est-ce qu'ils s'attaquent aux gens?

— Non, répondit M. Santiago en secouant la tête. Mais ils pourraient être intéressés par un petit chiot tout dodu. Tu ferais mieux de garder Chocolat en laisse.

— Je vais avoir Chocolat à l'œil pendant toute la fin de semaine, dit Rosalie.

Puis elle se tourna vers Maria et ajouta :

— Je l'ai promis à tes parents et à Liliane, aussi. Elle a appelé hier soir pour prendre des nouvelles de Chocolat, et j'ai dû lui raconter l'incident du moustiquaire. Elle était vraiment bouleversée.

— Est-ce qu'elle a retrouvé du travail? demanda la mère de Maria.

Elle avait entendu toute l'histoire de la maîtresse de Chocolat.

— Franchement, je crois qu'elle n'en cherche pas vraiment, dit Rosalie. Elle m'a dit qu'elle passait beaucoup de temps à regarder les chiens jouer au bord de la rivière. Ça la rend si triste qu'elle retourne chez elle et s'étend sur le canapé pour regarder la télé et manger de la crème glacée à même la boîte.

— La pauvre! dit M. Santiago. Il lui faudra un peu

de temps avant de se remettre d'avoir donné ce sympathique chiot.

Il regarda dans le rétroviseur, fit un sourire au chiot et lui dit :

— Pas vrai, mon Chocolat?

Rosalie avait remarqué que les parents de Maria semblaient être tombés amoureux de Chocolat eux aussi.

— Regarde! dit Maria en attrapant Rosalie par le bras et en montrant du doigt un chemin. Voilà un des chemins qui mènent jusqu'au lac.

Rosalie remarqua un autre chemin sinueux qui s'enfonçait dans la sombre forêt. Elle commençait à se rendre compte que le chalet était vraiment loin de toute habitation. Elle n'avait pas vu une seule maison depuis au moins une demi-heure. Le chemin qu'ils suivaient était de plus en plus cahoteux, et les arbres semblaient presque se toucher, au dessus de leur tête. Quand est-ce qu'ils arriveraient au chalet?

Puis quelque chose d'étrange se produisit. Le père de Maria gara la voiture dans une petite clairière et éteignit le moteur.

— Enfin arrivés! dit-il en soupirant et en s'étirant les bras. Ce chemin me semble toujours de plus en plus long. Mais ça en vaut la peine.

Rosalie regarda tout autour. Où était le petit chalet que Maria lui avait décrit? La seule construction en vue était une vieille remise croulante, juste assez grande pour loger une tondeuse à gazon.

Maria avait dû remarquer l'air bizarre de Rosalie.

— Euh… On n'est pas *tout à fait* arrivés, dit-elle. Mais la route s'arrête ici.

Elle descendit de la voiture et se dirigea vers la remise. Rosalie la suivit. Quand Maria ouvrit la porte, Rosalie aperçut deux grosses brouettes rouges, comme celles que les petits enfants tirent derrière eux, avec leur ours en peluche couché au fond.

— Nous devons transporter nos bagages jusqu'au chalet, expliqua Maria. Je crois que j'ai oublié de t'en parler.

— En effet, dit Rosalie. Combien de temps faudra-t-il?

Maintenant, elle avait vraiment besoin d'aller aux toilettes. Elle entendit des pleurnichements et se retourna : Chocolat pressait le grillage de la cage avec ses pattes et la regardait d'un air suppliant. *Oups!* Le pauvre Chocolat n'était pas content de rester derrière tout le monde.

Elle se dirigea aussitôt vers la voiture, ouvrit la cage et mit Chocolat en laisse. Il battit de la queue et lui lécha tout le visage.

J'ai eu un peu peur, mais je savais que tu reviendrais!

Il bondit de la voiture et se secoua joyeusement. Puis il s'étendit par terre et se mit à se rouler sur le dos. Il était là, les quatre fers en l'air, se tortillant dans tous les sens afin de se gratter le dos sur les aiguilles de sapin et les fougères qui couvraient le sol.

Aaah! Ça fait du bien.

Rosalie aida à charger les brouettes. Puis Simba ouvrit la marche dans un sentier étroit et sinueux.

Rosalie suivit, évitant les racines, les pierres et même un petit ruisseau vaseux. Comment Mme Santiago s'y prenait-elle pour marcher dans ce sentier? Rosalie ferma les yeux pendant un instant afin de voir l'effet que ça faisait d'être aveugle et de marcher dans ce sentier. Aussitôt, elle trébucha sur une pierre et faillit tomber. Chocolat se retourna, comme s'il voulait vérifier que tout allait bien.

Tu n'as rien? Parfait!

Puis il fonça devant lui, entraînant Rosalie qui le tenait en laisse.

— Nous y sommes presque, dit Maria.

Et ils arrivèrent. Rosalie soupira de soulagement en entrant dans la clairière et en apercevant le petit chalet entouré de jolis bouleaux blancs. C'était vraiment beau, exactement comme elle l'avait imaginé. Mais elle n'avait pas envie de s'attarder en contemplation. Elle voulait aller aux toilettes. Elle tendit la laisse de Chocolat à Maria et attendit impatiemment devant la porte, en se tenant sur un pied puis sur l'autre, pendant que M. Santiago ouvrait le cadenas.

Quand la porte s'ouvrit, Rosalie jeta un coup d'œil dans la pièce toute sombre. À l'intérieur, ça sentait exactement comme elle l'avait imaginé : le bois chauffé par le soleil, la fumée d'un feu de camp, et aussi cette délicieuse odeur de poussière et d'humidité qui lui chatouillait les narines chaque fois qu'elle ouvrait son vieux livre préféré, à la bibliothèque.

— Euh... où sont les toilettes? demanda-t-elle.

— Elles ne sont pas dans le chalet, dit M. Santiago en se retenant de rire.

Il ressortit sur la véranda et montra du doigt une petite cabane, derrière le chalet.

— Maria ne t'en a pas parlé? Nous n'avons pas l'eau courante.

CHAPITRE SIX

Tout compte fait, les toilettes extérieures n'étaient pas si mal. Bien sûr, il y avait quelques toiles d'araignées dans les coins, et la porte grinçait un peu, mais c'était propre et ça ne sentait pas trop mauvais. En fin d'après-midi, la lumière ocrée du soleil entrait par une grande fenêtre dans le mur du fond, ce qui réchauffait la petite bâtisse.

Quand Rosalie revint des toilettes, Chocolat l'attendait, tirant sur sa laisse tenue par Maria.

— Tu lui as manqué, dit celle-ci.

Rosalie se dirigea aussitôt vers Chocolat et s'accroupit pour lui faire un gros câlin.

— Ne t'en fais pas, face de poils. Je ne t'abandonnerai pas.

Chocolat lui lécha la joue et se tortilla dans ses

bras.

J'étais inquiet pendant quelques instants, mais te revoilà. Youpi!

Maria entraîna Rosalie à l'intérieur du chalet. M. et Mme Santiago venaient d'ouvrir toutes les portes et les fenêtres, et maintenant Rosalie pouvait voir la beauté et le confort du petit chalet. Les murs en bois rappelaient la cabine intérieure d'un bateau ou une maison dans un arbre. Mme Santiago vida une boîte de provisions, triant les choses en les palpant, pour ensuite les placer sur les étagères ou dans le réfrigérateur.

— Je croyais qu'il n'y avait pas d'électricité ici, dit Rosalie. Alors pourquoi y a-t-il un réfrigérateur?

— Bonne question! Il fonctionne au gaz, expliqua M. Santiago, tout en installant de vieux globes de verre sur des bases en laiton. La cuisinière aussi fonctionne au gaz. Et ces lampes à huile seront notre seul éclairage, ce soir.

— Nous dormirons ici, dit Maria, en ouvrant la

porte d'une chambre dans un angle du chalet.

Rosalie tendit le cou et vit une petite pièce dont l'espace était presque entièrement occupé par deux lits jumeaux recouverts de courtepointes.

— Il y a de la place pour Chocolat, à condition qu'il ne dorme pas dans sa cage, précisa Maria.

— Il n'en a pas besoin, dit Rosalie. Liliane a dit qu'il était propre et qu'il n'a jamais eu d'accident. Il a dormi sur mon lit hier soir et tout s'est bien passé. Pas vrai, mon beau?

Rosalie se pencha pour flatter Chocolat. Ce chien restait collé à elle comme un vrai pot de colle. Il ne s'éloignait jamais d'elle de plus de quelques pas.

— Tu veux aller voir le lac? demanda Maria après avoir déposé son sac de voyage sur un des lits.

— Allons-y tous ensemble, dit M. Santiago en prenant une canne à pêche à côté de la porte. Peut-être que j'attraperai quelque chose pour le souper.

Rosalie imagina un gros poisson gisant dans son assiette, la regardant de ses gros yeux globuleux. *Beurk!* Et il faudrait qu'elle soit polie et mange tout ce qu'on allait lui servir!

— Ne t'en fais pas, lui chuchota Maria. Il n'attrape jamais rien. Et maman a apporté plein de chili con carne et on a un bon dessert.

Rosalie suivit la famille Santiago dans un sentier tortueux. Elle essaya de mémoriser tous les tournants, mais c'était difficile, car Chocolat s'arrêtait tout le temps pour renifler quelque chose.

M. Santiago montra du doigt les espèces rares de champignons, de mousses et de fougères. Puis il s'arrêta brusquement et se mit à genoux pour voir de plus près les traces de pas d'un animal dans la boue.

— Ouah! On dirait bien un...

— Un gros raton laveur? l'interrompit Mme Santiago en s'empressant de lui poser la main sur l'épaule.

— C'est ça, un gros raton laveur, dit M. Santiago en relevant la tête avec un sourire.

Rosalie avait l'impression qu'ils essayaient de lui cacher quelque chose et elle croyait savoir quoi. Quand elle passa à côté de l'empreinte, elle y jeta un coup d'œil. Un raton laveur n'avait pas les pattes de cette grosseur. C'était une piste d'ours. Elle sentit un frisson lui parcourir le dos.

— Allez! On est presque arrivés, dit Maria en pressant Rosalie d'accélérer le pas.

— Oh! s'exclama Rosalie quelques minutes plus tard.

Le sentier aboutissait dans un grand espace dégagé où se trouvait un lac aux eaux calmes et paisibles, entouré de rochers surmontés de grands conifères.

— C'est magnifique! s'exclama-t-elle.

Chocolat semblait du même avis. Il tira sur sa laisse, entraînant Rosalie jusqu'au bord du lac.

— Attention Chocolat! dit-elle. Ne me fais pas tomber à l'eau.

Chocolat s'arrêta brusquement en atteignant le bord de l'eau. Il y trempa une patte et, en voyant la surface de l'eau se rider, il fit un bond en arrière.

Ouah! J'adore ce truc, mais je n'en ai jamais vu autant à la fois!

Puis il s'approcha prudemment et recommença à

tapoter l'eau avec sa patte.

Cool!

Rosalie et Maria riaient en l'observant s'amuser.

— Je crois que c'est vraiment un chien d'eau, dit Rosalie. Regarde-le. Il est attiré par l'eau comme le fer par un aimant.

— Tu ferais mieux de le surveiller de près, conseilla M. Santiago. L'eau n'est pas profonde, mais ce petit coquin en aura quand même par-dessus la tête.

— On devrait peut-être lui apprendre à nager! dit Maria. On pourrait l'emmener plus profond et lui montrer comment nager.

— Il vaut mieux ne pas trop le pousser, réplique Rosalie en secouant la tête. Tante Amanda dit que les chiens apprennent quand ils sont prêts. Il nagera quand il voudra nager.

Elle n'ajouta pas ce qu'elle pensait : l'eau du lac semblait très, très froide, et elle n'était pas sûre de vouloir se baigner.

Ils restèrent au lac jusqu'à ce que le soleil

commence à se coucher, puis ils revinrent au chalet pour préparer la soirée. M. Santiago alluma les lampes tandis que Mme Santiago mettait la table pour le souper, et Rosalie fit de son mieux pour se rendre serviable sans déranger personne. Ce n'était pas facile dans ce petit chalet, surtout avec Chocolat qui lui collait aux talons.

Après le souper, Rosalie et Maria mangèrent des carrés au riz soufflé devant le foyer. Les lampes à huile éclairaient le chalet d'une douce lumière jaune, et le feu crépitait.

— Je comprends pourquoi tu aimes ce chalet, dit Rosalie à Maria. C'est si chaleureux!

Avant de se coucher, M. et Mme Santiago restèrent avec Chocolat pendant que Rosalie et Maria allaient aux toilettes avec leurs lampes de poche. À l'extérieur, il faisait nuit noire. Le ciel était constellé de milliards d'étoiles, et en bordure de la clairière se détachait la silhouette noire des grands conifères.

Rosalie frissonna. Soudain, elle se sentit toute petite, consciente d'être perdue au fond des bois, loin de chez elle, de son lit et des bruits familiers de sa maison, à l'heure d'aller dormir. Elle se rappela les paroles de ses parents : « Tu t'ennuieras de nous » avait dit son père. « Je ne suis pas sûr que tu aimeras te sentir si loin au fond des bois » avait dit sa mère. Ils avaient peut-être raison, car à ce moment précis, elle eut un sentiment de vide et de solitude.

Aussitôt, elle se retourna vers le chalet et aperçut la lumière jaune qui éclairait les fenêtres et lui donnait un air si chaleureux et accueillant. Elle bâilla. Soudain, elle avait hâte d'aller se coucher.

À l'intérieur du chalet, il faisait chaud. Si chaud, que Maria et Rosalie ouvrirent la fenêtre de leur chambre pour faire entrer de l'air frais. Rosalie soupira de plaisir en se blottissant sous sa grosse courtepointe. Chocolat tourna en rond, puis, en soupirant de bonheur, se coucha sur le tapis de catalogne entre les deux lits. L'air frais entrait par la fenêtre ouverte, et le chant des grillons se mêlait aux voix des parents de Maria qui parlaient tout bas dans la chambre voisine. Rosalie s'endormit paisiblement.

Elle fut brusquement réveillée par un bruit, un cri

étrange suivi de jappements frénétiques. Elle se redressa dans son lit et, dans la pénombre, elle aperçut Maria qui s'était redressée, elle aussi. Elle sentit le museau de Chocolat sur sa main et se dit que le bruit l'avait réveillé, lui aussi.

— Qu'est-ce que c'est? demanda t-elle.

Des frissons de peur lui montaient dans le dos. Elle savait ce que c'était. Elle avait déjà entendu ce bruit. Mais jamais de si près.

— Des coyotes, dit Maria.

Elle bâilla à s'en décrocher les mâchoires et poursuivit :

— Pas de quoi s'inquiéter. Ils vont s'arrêter dans une minute.

Elle avait raison. Peu de temps après, les cris cessèrent, et la nuit redevint calme et silencieuse, troublée seulement par le chant des grillons. Mais Rosalie ne put se rendormir avant longtemps. Elle tira sa courtepointe jusque sous son menton. Elle avait peur de devoir retourner aux toilettes avant le matin. Que ferait-elle? Jamais elle ne sortirait toute seule dans le noir, ni même avec Maria. Il y avait des coyotes et peut-être même des ours. Il pourrait y avoir un énorme orignal ou une autre bête effrayante. Elle ne voulait même pas y penser.

Finalement, Rosalie s'endormit. Quand elle se réveilla, les premiers rayons de soleil éclairaient sa fenêtre. Le matin était calme et serein, et elle avait du mal à se rappeler pourquoi elle avait eu si peur, la nuit précédente. Elle se glissa hors de son lit, sans réveiller Chocolat ni Maria, qui tous les deux ronflaient doucement. Elle enfila ses tongs et marcha à pas de loup jusqu'à la porte d'entrée. Elle se glissa dehors en laissant la porte entrouverte afin de ne réveiller personne en la refermant, et se dirigea vers les toilettes.

Quand elle revint au chalet, la porte d'entrée était ouverte toute grande.

— Oh, non!

Elle courut à la chambre où elle avait dormi. Son cœur battait très fort.

Le tapis entre les deux lits était vide.

Chocolat était parti.

CHAPITRE SEPT

— Chocolat... chuchota Rosalie pour ne pas réveiller les autres. Chocolat, où es-tu?

Elle se pencha pour regarder sous son lit, puis sous celui de Maria. Ensuite elle courut au salon et regarda partout. Mais dans son cœur, elle savait qu'il était parti. Elle savait qu'il s'était réveillé et que, en voyant qu'elle n'était plus dans son lit, il avait couru dehors, à la recherche de la seule personne avec qui il se sentait vraiment en sécurité. Rosalie se précipita vers la porte, espérant voir Chocolat devant le chalet, remuant la queue et secouant ses grandes oreilles soyeuses. Mais la clairière était vide et silencieuse.

— Oh! Chocolat! gémit Rosalie.

Elle rentra, s'assit à la table et éclata en sanglots.

Elle était terriblement malheureuse. Le pauvre petit chiot était probablement mort de peur, tout seul, loin de tout ce qui lui était familier.

— Rosalie! Qu'est-ce qui se passe, ma chérie? dit Mme Santiago en arrivant derrière elle et mettant ses mains sur ses épaules.

Simba mit son nez dans la main de Rosalie pour la réconforter, lui aussi.

— Chocolat s'est enfui, lui dit Rosalie en pleurant. Je suis allée dehors et je n'ai pas fermé la porte complètement et... et...

— Jean! Maria! appela Mme Santiago. Réveillez-vous! On a perdu un chien.

Elle serra l'épaule de Rosalie.

— Ne t'en fais pas. On va le retrouver. Simba va suivre sa trace, dit-elle en se penchant pour retirer le harnais à Simba. Je vais rester ici au cas où Chocolat reviendrait au chalet.

Quelques secondes plus tard, Rosalie était dehors et observait Simba, le nez baissé, qui reniflait et flairait en courant d'un côté, puis de l'autre. Soudain, il partit vers les toilettes extérieures, en fit le tour, et fonça dans le sentier qui menait à la voiture.

M. Santiago courut à sa suite. Rosalie et Maria se regardèrent. Rosalie sentit son cœur se serrer et s'exclama :

— Pauvre Chocolat! Il doit être allé vérifier si la voiture était toujours là. Il croit qu'on l'a abandonné.

— Allez! dit Maria en prenant Rosalie par la main.

Rosalie courut derrière Maria, mais c'était difficile, en tongs. Elle n'arrêtait pas de trébucher contre des racines ou des pierres. Finalement, en traversant le ruisseau, elle perdit une tong et elle s'arrêta pour la récupérer dans la boue. Elle regarda l'eau qui s'écoulait sur les galets et, soudain, elle comprit : elle savait exactement où Chocolat était allé.

Elle savait bien qu'ils ne retrouveraient pas Chocolat au stationnement. En voyant la voiture à sa place, il était probablement revenu au chalet. L'eau qui coulait dans le ruisseau lui avait sans doute rappelé les rides à la surface du lac et il avait dû courir tout le long du sentier pour aller y tremper encore une fois ses pattes. Ce chiot adorait l'eau.

Aussitôt, sans réfléchir plus longtemps, Rosalie

remit sa tong et repartit en courant dans la direction opposée. Elle savait où trouver Chocolat.

Elle était sûre de connaître le chemin menant au lac. Passer devant le chalet. (La porte était encore grande ouverte, donc Chocolat n'était pas revenu.) Tourner à droite au gros rocher à côté des grands pins. Suivre le sentier en passant par la clairière au sol couvert de fougères. Prendre le sentier plus large, près des rochers couverts de mousse verte. Puis...

Haletante et inquiète, Rosalie regarda à gauche, puis à droite. Fallait-il prendre le sentier en pente ou celui qui menait à la forêt de grands pins? Mais... Ne venait-elle pas de traverser une forêt de pins? Tous les sentiers lui semblaient identiques. Soudain, elle se rappela ce que M. Santiago avait dit à propos des routes de bûcherons qui parcouraient la forêt dans tous les sens. Elle devait tourner en rond.

Elle s'arrêta pour réfléchir. C'est ce que son père recommandait toujours de faire : « respire profondément et prends le temps d'examiner la situation pour trouver une solution. »

Elle regarda la lumière du soleil matinal qui

passait à travers les arbres au-dessus de sa tête. Quand elle était allée aux toilettes, hier après-midi, le soleil arrivait de la direction opposée. Le lac était du même côté que le chalet et que les toilettes.

— Le soleil se lève à l'est et se couche à l'ouest, dit-elle à voix haute. Je ne suis pas allée assez loin pour avoir passé le lac. Donc ça veut dire… Ça veut dire que je dois aller vers l'ouest pour m'y rendre. Donc si le soleil est derrière moi… je dois aller par là. Oui!

Rosalie fonça dans le sentier.

Immédiatement, elle sut qu'elle allait dans la bonne direction. Elle pensa à ce que sa mère aurait dit : « Rosalie, si tu as une tête sur les épaules, c'est pour t'en servir! »

En peu de temps, elle sut qu'elle était près du lac… vraiment tout près. Quand elle reniflait, elle pouvait même sentir l'eau. Puis elle s'engagea dans une courbe et aperçut quelque chose : une grosse silhouette, sombre et voûtée, au bout du sentier.

Rosalie s'arrêta brusquement, le souffle coupé. Son cœur battait à tout rompre. *Un ours,* pensa-t-elle. *C'est un ours. Qu'est-ce que je vais faire? Qu'est-ce que je vais faire?*

La silhouette ne bougeait pas. Rosalie avança d'un pas. *Est-ce que c'est un ours?*

Sans bruit, elle fit encore quelques petits pas. Plus près, encore plus près. Puis elle soupira très fort, secoua la tête et rit nerveusement. Ce n'était pas un ours, seulement une grosse souche.

Rosalie se remit à courir. Le sentier déboucha sur un grand espace dégagé et, comme dans son souvenir, le lac était là, devant elle. La surface de l'eau était lisse comme un miroir, réfléchissant les grands pins et les rochers qui bordaient la rive. Tout était calme et silencieux, dans la douce brise du matin.

Et là, elle vit Chocolat. Le petit chiot venait de grimper sur un grand rocher plat qui surplombait l'eau. En grattant avec ses pattes, il fit tomber des cailloux dans l'eau et fixa les cercles qui se formèrent. Tandis que Rosalie l'observait, il avança de quelques pas vers l'eau.

— Non! Chocolat! cria Rosalie en courant aussi vite que possible.

Mais il était trop tard. Avant qu'elle puisse

l'attraper, Chocolat fit une culbute et plongea dans le lac. Sa petite tête poilue disparut, ainsi que ses petites pattes.

CHAPITRE HUIT

— Chocolat! cria Rosalie en enlevant ses tongs d'un coup de pied.

Elle continua de courir vers le lac. Pauvre Chocolat! Elle imaginait le petit chiot terrifié, essayant de garder sa tête au-dessus de l'eau profonde et glacée. Elle devait absolument le sauver.

— Aïe aïe aïe! glapit-elle en marchant sur les cailloux.

Puis ses orteils butèrent contre une racine :

— Aïe!

Finalement, elle arriva au bord de l'eau. Essoufflée, elle grimpa sur le rocher plat d'où Chocolat avait plongé et regarda en bas, inquiète de ce qu'elle allait découvrir.

Chocolat était là, nageant joyeusement, comme

s'il avait fait ça toute sa vie. Il nageait à la perfection. Sa queue était bien droite derrière lui et l'aidait à se diriger. Il aperçut Rosalie et il secoua la tête. Ses grandes oreilles firent voler des gouttelettes d'eau qui, dans les airs, prirent les couleurs de l'arc-en-ciel.

Viens me rejoindre! L'eau est super bonne!

— Chocolat!

Rosalie aurait voulu hurler, tant elle se sentait soulagée. Le chiot n'avait pas besoin d'être secouru. Il allait bien. C'était vraiment un chien d'eau. Il n'avait pas besoin d'apprendre à nager et il n'avait pas besoin de son aide.

Il nagea vers le rocher où elle était encore agenouillée. Il la regarda et secoua à nouveau la tête.

Tu ne veux pas venir me rejoindre?

— J'adorerais sauter à l'eau, lui dit Rosalie. Mais

elle semble affreusement froide.

Chocolat s'éloigna à la nage, puis fit demi-tour et revint vers le rocher. Il posa une patte avant sur le rebord du rocher, puis l'autre, et essaya de se hisser hors de l'eau en s'accrochant avec ses petites griffes. Mais le rocher était trop à pic. Le chiot essaya à un autre endroit, puis à un autre encore. Il tâtonnait de plus en plus et commençait à s'affoler.

À l'aide! Comment dois-je faire pour me sortir de là?

— Oh, pauvre Chocolat! Tu n'arrives pas à sortir de l'eau, c'est ça?

Rosalie se releva, prit son élan et sauta dans l'eau. Elle retomba sur ses pieds dans un gros plouf. L'eau lui arrivait à la taille, mais elle était si froide qu'elle en eut le souffle coupé. Puis elle cria :

— Ici, petit chenapan! On sort de là!

Elle tendit la main vers Chocolat, l'attrapa par le collier et l'entraîna jusqu'à la petite plage de sable qu'elle avait vue la veille.

— Tu vois? C'est plus facile ici, dit-elle en le guidant jusqu'à la rive.

Les petites pattes blanches du chiot clapotèrent dans l'eau jusqu'à un endroit moins profond. Dès qu'il eut pied, il s'arrêta et secoua la tête, aspergeant Rosalie d'eau froide.

— Oh là là! s'écria Rosalie, tant l'eau était froide.

Mais elle ne pouvait pas s'empêcher de rire. Chocolat était sain et sauf, et c'était tout ce qui comptait.

— Rosalie! cria M. Santiago en accourant au bord du lac, suivi de Maria et de Simba. Est-ce que ça va?

— Tout va bien, dit Rosalie. Et devinez : Chocolat sait nager!

— Merveilleux! dit M. Santiago. Mais je crois qu'il vaudrait mieux rentrer vous sécher et vous réchauffer avant d'être complètement gelés tous les deux.

Il prit le chiot tout trempé dans ses bras et pressa Rosalie et Maria de retourner au chalet. À l'intérieur, Mme Santiago aida Rosalie à retirer ses vêtements mouillés et l'enroula dans une grosse serviette de ratine bien chaude pendant que M. Santiago faisait un bon feu. Maria sécha Chocolat avec une autre serviette.

— Ce petit chien a eu toute une journée! dit M. Santiago au bout d'un moment.

Ils s'assirent tous devant le feu qui crépitait, en dégustant une soupe fumante au poulet et aux nouilles, dans de grandes tasses.

— Il s'est d'abord rendu jusqu'à la voiture, car il a laissé des traces, poursuivit M. Santiago. Il a dû jeter un coup d'œil dans la voiture pour voir s'il y avait quelqu'un, car il y avait deux traces de pattes pleines de boue sur la portière.

— Vraiment! s'exclama Rosalie en caressant la fourrure frisée de Chocolat.

Il avait séché rapidement et il était maintenant couché sur ses genoux, devant le feu.

— Ensuite, d'après ses traces, il a fait demi-tour et il est revenu vers le chalet. Mais quand il a vu le ruisseau, un déclic s'est probablement produit dans sa tête, et il s'est rappelé qu'il avait adoré jouer au bord de l'eau. Alors, il s'est précipité vers le lac.

— C'est *exactement* ce que j'ai imaginé, dit Rosalie.

— Tu comprends très bien comment les chiens pensent, dit M. Santiago en lui souriant. Bon travail! Mais j'aurais préféré que l'un de nous soit présent avant que tu sautes dans le lac.

— Je savais que ce n'était pas profond et que ce n'était pas dangereux, répliqua Rosalie. Mais c'était assez profond pour que Chocolat soit en danger. Il fallait que j'aille à son secours.

Elle câlina Chocolat et l'embrassa sur le museau.

— Je te promets de ne plus jamais te laisser tout seul, lui chuchota-t-elle à l'oreille.

Pour le reste de la journée, Rosalie ne perdit pas de vue Chocolat, même pas une seule petite seconde. Ce n'était pas difficile, car il ne s'éloignait jamais d'elle de plus de deux pas. Et ce soir-là, quand ils allèrent se coucher, il se blottit contre elle, dans son lit. Rosalie aimait sentir sa chaleur. Cependant, elle s'endormit inquiète. Comment trouver un foyer permanent pour un chien qui ne pouvait pas rester seul?

CHAPITRE NEUF

— Donc, je me suis dit : « Qu'est-ce que papa dirait? » Je me suis arrêtée, j'ai respiré profondément et j'ai tenté de trouver une solution.

C'était le lendemain soir, et Rosalie soupait avec toute sa famille. Elle racontait la grande aventure de Chocolat... pour la quarantième fois et chaque fois, elle se rappelait de nouveaux détails :

— Vous auriez dû me voir courir jusqu'au lac, ensuite.

— On le sait, Super-Rosalie, dit Charles. Tu nous l'as déjà raconté.

Il leva les yeux au ciel et se resservit du macaroni au fromage dans le grand plat déposé au milieu de la table.

Rosalie tira la langue à son frère. Tout le monde

était impressionné par le sauvetage de Chocolat, sauf lui. Pas comme Liliane, par exemple. Rosalie l'avait appelée dès son retour du chalet et lui avait raconté toute l'histoire. Liliane avait d'abord été bouleversée, puis elle avait ri, pleuré ou poussé des cris en écoutant toutes ces péripéties.

— Tu as fait ça? Vraiment? Tu as sauté dans l'eau glaciale du lac? avait-elle dit. Raconte-moi encore comment Chocolat nageait.

Rosalie avait remarqué que Liliane avait le cœur brisé quand on lui parlait de Chocolat. Néanmoins, elle voulait entendre tous les détails.

À l'école, le lendemain, tout le monde avait adoré son histoire. Elle l'avait racontée au rassemblement du matin. Ensuite, elle avait répondu aux questions.

— Tu as plongé d'un gros rocher? demanda Daniel.

Rosalie fit oui de la tête, même si elle avait plutôt sauté que plongé.

— Tu as dû nager sur quelle distance pour regagner la rive? demanda Caroline.

— Ce n'était pas si loin, dit Rosalie en haussant les épaules.

Elle ne mentionna pas qu'en fait, elle avait marché, et non pas nagé, puisque l'eau n'était pas profonde.

— Est-ce que tu as eu peur? demanda Aaron.

— Pas du tout, répondit Rosalie en faisant non de la tête. Je n'ai pas eu le temps d'avoir peur.

Au dîner, Maria faisait la queue derrière Rosalie. Quand celle-ci tendit la main pour prendre un sandwich au thon, Maria lui murmura à l'oreille :

— Tu avais trop peur.

Rosalie se raidit.

— Je n'avais... commença-t-elle à dire.

Puis elle se rappela ce qu'elle avait ressenti quand elle avait cru voir un ours : elle avait eu le souffle coupé à se plier en deux. Elle soupira et courba le dos.

— OK, tu as raison, dit-elle. J'étais terrifiée. Et mes parents avaient raison aussi. Je me suis ennuyée de chez nous. Mais tu sais, tout a fini par s'arranger, et c'était vraiment bien d'aller à ton chalet. À quand la prochaine fois?

De retour de l'école, Rosalie racontait l'épisode du

saut dans le lac, encore une fois, quand sa mère, l'air sérieux, l'interrompit :

— Rosalie, assieds-toi une seconde et écoute-moi. Il y a une chose dont nous devons discuter.

— Quoi? demanda Rosalie, qui n'aimait la tête que lui faisait sa mère.

Elle prit Chocolat sur ses genoux et s'assit sur le canapé. Elle caressa la tache de poils blancs sur sa poitrine, et Chocolat lui lécha la joue et remua la queue.

Tu m'as manqué aujourd'hui, même si je n'étais pas tout seul.

— Je sais à quel point tu aimes Chocolat, commença sa mère. Je sais que tu veux l'héberger quelque temps et trouver le foyer parfait pour lui.

Rosalie approuva d'un hochement de tête. C'était vrai.

— Mais... continua sa mère.

L'estomac de Rosalie se serra.

— Mais je crois qu'on ne pourra pas le garder

encore bien longtemps, termina Mme Fortin.

— Qu'est-ce que tu veux dire? demanda Rosalie en serrant Chocolat si fort contre son cœur que le chiot lâcha un petit cri.

Elle desserra ses bras.

— Tu sais que ton père s'en va à la réunion annuelle des pompiers jeudi prochain, reprit sa mère.

Rosalie fit oui de la tête.

— Eh bien! Il sera parti pendant trois jours. Et vendredi, j'ai promis d'accompagner le Haricot et les enfants de la garderie à la Ferme des Pitchounets. Ils vont ramasser des citrouilles et donner à manger aux chèvres et aux poules. Le Haricot a vraiment hâte.

Mme Fortin regarda Rosalie.

Rosalie comprit. Si sa mère et son père étaient tous les deux partis, Chocolat serait tout seul, ce jour-là. C'était impossible. Mais il y avait une solution très simple.

— Alors je resterai à la maison au lieu d'aller à l'école, dit Rosalie.

— C'est une idée, répliqua Mme Fortin. Mais il

n'en est pas question.

— Et tante Amanda? demanda Rosalie. Elle pourrait garder Chocolat?

— Malheureusement non, répondit Mme Fortin en secouant la tête. Je l'ai déjà appelée, et elle dit qu'elle n'a plus une seule place pour les deux semaines à venir. Si elle prenait un chien de trop, elle pourrait perdre son permis.

— Alors, où ira-t-il? demanda Rosalie.

— J'ai aussi appelé Mme Daigle. Elle m'a dit qu'elle pouvait le prendre aux Quatre Pattes pour la journée, lui dit sa mère.

— Non, ça ne marchera pas pour Chocolat, dit Rosalie en secouant la tête à son tour. Il sera tout seul.

Rosalie savait que, parmi tous les refuges d'animaux, les Quatre Pattes était le meilleur.

Mme Daigle s'assurait que l'endroit était toujours propre et bien chauffé. Les animaux étaient bien nourris et recevaient beaucoup d'attention. Mais une promenade deux fois par jour, ce n'était pas assez pour un chien comme Chocolat, qui avait besoin d'être avec des gens tout le temps.

Rosalie enfouit son visage dans la fourrure de Chocolat et respira à fond pour se remplir de son délicieux parfum de chiot. Elle n'avait jamais vu un chiot à la fourrure aussi douce.

Chocolat renifla dans l'oreille de Rosalie.

J'adore être blotti contre toi!

— J'essaierai de trouver quelqu'un pour me remplacer à l'excursion à la ferme, dit Mme Fortin en prenant la main de Rosalie. Mais, Rosalie, même si ça marche pour vendredi, ça ne fera que repousser le problème d'un jour ou deux. De toute façon, il faudra l'emmener aux Quatre Pattes. Mme Daigle m'a promis d'en prendre bien soin et de lui trouver un bon foyer.

— Non, dit Rosalie.

— J'ai d'autres obligations, aussi, dit Mme Fortin en secouant la tête. Et ton père aussi. Nous sommes trop occupés pour prendre soin d'un chiot qui a constamment besoin d'une présence.

— Mais maman... dit Rosalie qui ne voulait pas l'accepter. Chocolat finira par rester au refuge trop longtemps, comme Fred.

Fred était un teckel grognon qui mordait tout le temps. Mme Daigle devait être honnête à propos des chiens de son refuge. Quand les gens apprenaient que Fred avait mordu le nez d'un petit enfant, ils ne voulaient pas le prendre chez eux. Même s'il était super mignon, Fred avait passé plus de sept semaines aux Quatre Pattes avant qu'un gentil monsieur à la retraite l'adopte. Combien de temps y passerait Chocolat, lui qui ne pouvait pas rester tout seul?

Rosalie supplia sa mère, lui fit toutes sortes de promesses et pleura même un petit peu. Mais Mme Fortin ne céda pas. Chocolat irait aux Quatre Pattes. Le pire de tout, c'est que Rosalie devait l'annoncer à Liliane.

CHAPITRE DIX

C'était le pire appel que Rosalie ait eu à faire de toute sa vie. Mais elle savait que ce ne serait pas bien d'emmener Chocolat aux Quatre Pattes sans avertir Liliane. Elle aurait bien voulu éviter cette situation, mais elle n'avait pas le choix. Ce soir-là, après le souper, elle décrocha le téléphone et composa le numéro.

— Allô, répondit Liliane d'une voix monocorde.

— Bonsoir, Liliane! C'est Rosalie.

— Oh! Bonsoir! dit Liliane d'une voix un peu plus enjouée. Comment va Chocolat?

— Il va bien, dit Rosalie. Pas de nouvelles aventures. Et toi? As-tu trouvé du travail?

Elle savait qu'elle tournait autour du pot, mais elle était très mal à l'aise d'annoncer à Liliane que son chien s'en allait au refuge pour animaux.

— Non, dit Liliane.

Sa voix était redevenue monocorde, et elle ne dit rien d'autre. Rosalie devinait que Liliane ne voulait pas en parler. Elle poursuivit :

— Et la rivière? Y es-tu retournée pour voir les chiens jouer?

— Non, dit Liliane.

Rosalie réfléchit un instant. Aurait-elle envie d'aller regarder les chiens des autres jouer si elle devait donner Biscuit? Sans doute que non.

— Euh, dit-elle finalement parce qu'il fallait bien qu'elle se décide à parler. Je suis désolée, mais ma famille ne pourra pas garder Chocolat encore bien longtemps. Dans quelques jours, nous devrons probablement l'amener aux Quatre Pattes, le refuge pour animaux.

Elle attendit une seconde, mais Liliane ne dit pas un mot.

— Mme Daigle est très gentille, continua Rosalie. Elle prendra bien soin de Chocolat. Je te le promets. Il sera en sécurité et bien au chaud, et les niches sont propres et…

Rosalie savait qu'elle lui débitait un flot de paroles inutiles, mais elle ne pouvait faire autrement.

— Et elle lui trouvera une bonne famille dans une bonne maison. J'en suis sûre, conclut-elle.

Puis, elle reprit son souffle.

— Liliane? Est-ce que ça va?

— Je dois te laisser, dit Liliane en reniflant au bout du fil.

Et elle raccrocha.

Rosalie fixa le combiné qu'elle avait encore en main. Elle se sentait affreusement mal. Elle prit Chocolat dans ses bras et enfouit son nez dans la fourrure épaisse de son cou.

— Oh, Chocolat! dit-elle. Je suis tellement désolée!

Mme Fortin avait trouvé quelqu'un pour la remplacer durant l'excursion de la garderie. Puis la fin de semaine arriva. Rosalie n'allait pas à l'école et pouvait s'occuper de Chocolat. Elle joua avec lui toute la journée et, le soir, elle le laissa dormir sur son lit. Elle le câlina et lui donna des gâteries. Elle lui acheta un ours polaire en peluche du nom de Flocon. Elle lui apprit à donner la patte. Ainsi il pourrait impressionner les gens qui viendraient au refuge pour adopter un chien. Et Charles l'aida à lui donner un bain et à peigner sa fourrure soyeuse jusqu'à ce qu'elle soit bien luisante.

Puis, dimanche soir, il fallut partir pour le refuge. Charles, le Haricot et M. Fortin firent leurs adieux à Chocolat en le serrant dans leurs bras, et Rosalie mit le chiot dans sa cage, à l'arrière de la fourgonnette.

— Tu sais que je déteste faire ça, Rosalie, dit Mme Fortin, en route pour les Quatre Pattes. Mais je suis sûre que Chocolat se fera adopter en peu de temps. Il est si mignon et si bien élevé!

— Tant qu'il y a quelqu'un avec lui, précisa Rosalie. N'oublie pas ce petit détail.

Elle se retourna sur son siège pour regarder Chocolat. Il était vraiment adorable. Si seulement ils avaient pu le garder un petit peu plus longtemps! Elle était sûre qu'elle l'aurait aidé à surmonter son angoisse de séparation.

— Tu vas tellement me manquer, face de poils!

Elle passa un doigt à travers la cage pour lui flatter le museau. Chocolat battit de la queue et lui lécha les doigts à travers le grillage.

Où est-ce qu'on va maintenant? Remarque... je m'en fiche un peu, car j'ai toujours du plaisir quand je suis avec toi!

Rosalie savait que Chocolat n'avait aucune idée de l'endroit où ils allaient, ni pourquoi, contrairement à elle, qui allait le faire entrer dans un des enclos du refuge, refermer la porte derrière lui et l'abandonner là. Sa gorge se serra et une larme glissa sur sa joue. Pauvre Chocolat! Rien de tel n'était jamais arrivé à un des chiens accueillis par les Fortin. Pourquoi Chocolat?

Quand ils arrivèrent aux Quatre Pattes, Rosalie sortit Chocolat de sa cage et le serra dans ses bras. Mme Daigle les accueillit à la porte principale. Elle avait accepté de venir un dimanche soir, à un moment où c'était plus calme, et elle avait promis de rester avec Chocolat jusqu'à ce qu'il s'endorme. Quand il se réveillerait le matin, il y aurait des gens autour de lui et beaucoup d'activités.

— Bonjour, Chocolat! dit Mme Daigle en tendant la main pour flatter la joue du chiot. Ne t'en fais pas, mon beau chien. Tu seras bien, ici.

Chocolat lui lécha la main, puis se blottit encore plus profondément dans les bras de Rosalie.

Je suis toujours bien tant que tu restes avec moi.

Rosalie avait du mal à supporter cette situation. Chocolat lui faisait confiance. Comment pouvait-elle l'abandonner là? Elle le serra plus fort et l'embrassa sur la tête. Une de ses larmes tomba sur son museau, et il la lécha.

— On le mettra dans la niche numéro un. C'est près du bureau, alors il y aura des gens qui passeront plus souvent, dit Mme Daigle en les dirigeant vers la salle des chiens.

Rosalie et sa mère avaient apporté le drap de flanelle rouge sur lequel Chocolat avait dormi. Quand Mme Daigle ouvrit la porte de la niche numéro un, Mme Fortin entra pour arranger le drap sur la couchette pour chien qui était déjà là, confortable et bien propre. Puis elle sortit Flocon, l'ours polaire, de son sac et le déposa sur la couchette. Elle ressortit, et Rosalie la vit s'essuyer vite les yeux. Sa mère pleurait, elle aussi.

Rosalie pénétra dans la niche avec Chocolat, le déposa sur la couchette et s'assit à côté de lui.

— Tu vas être bien ici, lui dit-elle en lui caressant les oreilles. Très bien!

Chocolat la regarda de sous ses gros sourcils et lécha une larme qui coulait sur sa joue.

Tu sembles bouleversée. Je me demande pourquoi.

Rosalie posa sa joue sur Chocolat. Il était si gentil! Comment le laisser tout seul ici?

Puis Rosalie entendit un gros bruit venant de la porte principale.

— Qu'est-ce qui se passe? dit Mme Daigle.

— Ouvrez! cria quelqu'un.

Mme Daigle se dirigea vers la porte et disparut.

En revenant, elle n'était pas toute seule.

Liliane l'accompagnait, et elles souriaient toutes les deux.

— Chocolat! s'écria Liliane.

Elle courut vers la niche et se jeta sur Chocolat. Le chiot se trémoussa, battit de la queue et lécha chaque centimètre du visage de Liliane.

Tu es revenue! Je savais que tu allais revenir!

— Que... Qu'est-ce que tu fais ici? demanda Rosalie, osant à peine poser la question.

— Je suis venue chercher Chocolat! répondit Liliane. Quand tu m'as dit qu'il allait devoir aller au refuge, c'en était trop. Je me suis secouée et j'ai cherché du travail. Et j'en ai trouvé! Je vais être serveuse dans un restaurant au bord de la rivière. Et ce n'est pas tout! Une de mes meilleures amies du secondaire y travaille. Elle cherche justement une colocataire... et elle adore les chiens.

Elle s'assit et mit Chocolat sur ses genoux.

— Qu'est-ce que tu dis de ça, face de poils? Il y

aura toujours quelqu'un avec toi puisque Rébecca travaille le matin et moi, le soir. Et on sera juste à côté de la rivière! Tu pourras jouer avec les autres chiens et nager!

Chocolat bondit hors de ses bras et se mit à courir en rond tout en aboyant joyeusement.

Je ne suis pas sûr de tout comprendre, mais ça me semble très bien!

Rosalie essuya ses larmes. Elle pleurait encore, mais maintenant elle souriait aussi. Elle n'aurait jamais pu trouver une meilleure maison pour Chocolat!

EN SAVOIR PLUS
SUR LES CHIOTS

Peux-tu penser comme un chien, comme Rosalie l'a fait quand elle cherchait Chocolat? C'est amusant de se mettre dans la peau d'un chien et d'imaginer ce qu'il peut voir, sentir, entendre ou penser. Juste pour voir, essaie de raconter par écrit une aventure, un moment drôle ou juste une journée ordinaire, en te mettant à la place de ton chien (ou d'un chien imaginaire, si tu n'en as pas). Apprendre à penser comme un chien t'amènera à les aimer encore plus!

Chères lectrices, chers lecteurs,

J'ai adoré écrire ce livre parce que Rosalie est allée au chalet de la famille de Maria, au fin fond des bois. J'ai eu beaucoup de plaisir à imaginer le chalet (et ce que ça sentait à l'intérieur) et les sentiers qui traversaient la belle forêt jusqu'au lac aux eaux argentées. Passer du temps en plein air, tous les jours, est très important pour moi. Et il n'y a pas de meilleur compagnon qu'un chien pour aller se promener dans les bois, faire du ski de fond ou nager dans un lac!

Caninement vôtre,
Ellen Miles

P.-S. Pour savoir comment la famille Fortin a adopté Biscuit, lis le livre qui porte ce titre!

À PROPOS DE L'AUTEURE

Ellen Miles adore les chiens. Et elle adore raconter des histoires sur leurs différentes personnalités. Elle a écrit d'autres histoires pour la collection Mission : Adoption, dont celles qui figurent au début de ce livre. Elle est également l'auteure de *The Pied Piper* et d'autres classiques de Scholastic.

Ellen adore pratiquer des activités de plein air tous les jours, que ce soit marcher, faire de la bicyclette, skier ou nager, selon la saison. Elle aime aussi lire, cuisiner, explorer la région où elle habite et passer du temps en compagnie de sa famille et de ses amis. Elle habite au Vermont, aux États-Unis.

Si tu aimes les animaux, ne manque pas un seul des livres de la collection Mission : Adoption!